EL PAYASO DE LA CLASE

JOHANNA HURWITZ

Ilustrado por SHEILA HAMANAKA

SCHOLASTIC INC.

New York Toronto London Auckland Sydney

Original title: *Class Clown*

 Published by Scholastic Inc., 555 Broadway, New York, NY 10012, by arrangement with William Morrow and Company, Inc.
Printed in the U.S.A.
ISBN 0-590-48073-1

21 20 19 18 40 13 14 15 16/0

Para David Reuther

ÍNDICE

1

UNA NOTA DE LA SRA. HOCKADAY

Ese primer martes de octubre era como cualquier otro día en la clase de tercer grado de la Sra. Hockaday. Lucas Cott estaba aburrido e inquieto, como de costumbre. Siempre se sentía inquieto en la clase.

Durante la clase de sociales, se entretenía grabando sus iniciales en el pupitre con la punta de un bolígrafo. Grabar la *L* fue fácil porque sólo eran dos líneas rectas. La *C* era más difícil. Lucas quería que la curva de la letra quedara perfecta.

—Lucas está escribiendo en su pupitre —dijo una voz.

Era Cricket Kaufman, que ocupaba el pupitre de al lado. Ella siempre andaba espiando a Lucas.

—No estoy haciendo nada —protestó Lucas, escondiéndose el bolígrafo en la manga de la camisa.

—Sí estás —insistió Cricket—. Te acabo de ver.

La Sra. Hockaday se acercó. —Alguien ha escrito *LC* en este pupitre —dijo mirando fijamente a Lucas.

—Pudo haber sido cualquiera. No tuve que ser yo —respondió Lucas.

—¿Quién más va a estropear tu pupitre con tus

iniciales? —dijo la Sra. Hockaday.

—Usted no me vio —protestó Lucas.

—Pero yo sí te vi —dijo Cricket toda orgullosa.

—¿Con que sí? Pues es tu palabra contra la mía —dijo Lucas, girándose a mirar a la niña que siempre lo molestaba. Al darse vuelta, el bolígrafo se le salió de la manga y cayó al suelo.

—Miren —dijo Cricket—. Ahí está la prueba.

En la clase, todos sabían que Cricket pensaba ser abogada. Por eso siempre estaba practicando.

La Sra. Hockaday mandó a Lucas al baño a buscar toallas de papel mojadas y jabón. —Quiero que limpies ese pupitre —le dijo.

Mientras limpiaba el pupitre, Lucas se sonreía. Eso era mucho más divertido que la clase de sociales.

El día continuó como siempre: Lucas se metió en líos tres o cuatro veces más. Justo antes del timbre de salida, Lucas sacó de un bolsillo un popote que había guardado del almuerzo. La Sra. Hockaday estaba leyendo. Lucas la escuchaba y, al mismo tiempo, hacía como que estaba fumando un cigarrillo. De vez en cuando le daba golpecitos para que cayera la "ceniza", tal como había visto en las películas.

La Sra. Hockaday levantó la vista. —¡Lucas Cott! ¿Qué estás haciendo ahora? —dijo. Caminó hacia él y le quitó el popote. —Bueno, ¡ya se te acabó el jueguito!

—No, señora Hockaday, todavía no —dijo Lucas, sacando un nuevo popote del bolsillo—. Tengo otro —anunció. Todos se rieron. Lucas los miraba con una gran sonrisa. Le encantaba hacerlos reír. Tenía fama de ser el payaso de la clase.

La Sra. Hockaday se sentó en su escritorio y empezó a escribir una nota. En eso sonó el timbre de salida.

Cuando Lucas salía del salón, la Sra. Hockaday

lo llamó. —Entrégale esta nota a tu mamá —le dijo.

Lucas miró la nota. Era una hoja doblada en dos sin sobre. Lucas sintió una gran tentación de leerla para saber qué le decía la Sra. Hockaday a su mamá. En el camino a su casa se puso a leer la nota. Por suerte entendía la letra. La nota decía: "Por favor, llámeme a la escuela. Es necesario que hablemos. La conducta de Lucas es obstructiva".

Lucas pudo leer las primeras líneas sin problema. Pero no sabía qué quería decir la última palabra. Nunca había visto la palabra *obstructiva* en sus listas de vocabulario.

Lucas miró a su alrededor y vio a Cricket, que esperaba la señal del guarda para cruzar la calle. Aunque le caía mal, no se podía negar que Cricket era la más inteligente del tercer grado. Era la primera en terminar los ejercicios y los entregaba sin borrones. Siempre levantaba la mano para que le preguntaran a ella. Cricket sabía todas las respuestas y nunca se equivocaba.

Lucas se acercó a ella y le mostró la nota. —¿Entiendes esta palabra? —le preguntó.

—Ésa es la carta que la Sra. Hockaday te dio para tu mamá —dijo Cricket, reconociendo el papel rosado de la maestra.

—Sí, ya se la llevo —dijo Lucas—, pero quiero saber qué dice.

—No debes leer las cartas que no son para ti —dijo Cricket muy indignada—. Yo jamás lo haría.

Sin embargo, aunque la nota tampoco era para ella, miró lo que decía.

—¿Qué quiere decir la última palabra? —le preguntó Lucas.

Cricket la pronunció sílaba por sílaba. —Es un tipo de médico —dijo la sabelotodo—. Es el médico de las mamás cuando van a tener bebés. Yo lo sé porque mi mamá va a tener un bebé el próximo mes. Ahora voy a ser una hermana mayor —dijo dándose importancia.

—Yo ya soy el mayor —le contestó Lucas, pensando que pronto se daría cuenta de que la llegada de un bebé no era nada del otro mundo—. Tengo dos hermanitos gemelos —le recordó. Lucas se detuvo un momento. Se le acababa de ocurrir una idea—. ¿Por qué crees que la Sra. Hockaday dice que me porto como un médico?

—A lo mejor piensa que vas a ser médico cuando seas grande —dijo Cricket—. Si yo quisiera, sería médica, pero quiero ser abogada. Así cuando sea grande puedo ser Presidenta de los Estados Unidos.

—Pues yo no voy a votar por ti —le gritó Lucas, mientras le quitaba la nota de las manos. Salió corriendo y cruzó la calle, a pesar de que el guarda no lo había indicado.

—¡Jovencito! ¡Jovencito! —le gritó el guarda.

Pero Lucas corrió sin parar hasta llegar a su casa. Lleno de orgullo, le entregó a su mamá la nota de la maestra. Casi nunca llevaba tan buenas noticias.

—Cuando sea grande voy a ser médico —anunció.

—¿En serio? —le preguntó sorprendida la Sra. Cott—. Yo pensaba que ibas a ser luchador.

—Eso era ayer —le explicó Lucas—. La Sra. Hockaday dice que voy a ser médico, como los que atienden a las señoras cuando van a tener bebés.

La Sra. Cott leyó la nota que su hijo le había dado. —Ay, Lucas —suspiró mientras la leía nuevamente. Por lo visto, su mamá no era tan lista como Cricket Kaufman porque se fue a buscar el diccionario.

La Sra. Cott hojeó las páginas hasta que encontró la palabra *obstructiva*.

—OBSTRUCTIVO/A. Que estorba y dificulta, a veces ruidosamente —leyó en voz alta.

—Los bebés son ruidosos —dijo Lucas.

—Los bebés son ruidosos y tú también —dijo su

mamá—. La Sra. Hockaday está disgustada por tu comportamiento.

—Yo creía que la nota decía que iba a ser médico —dijo Lucas. ¡No podía creer que Cricket se había equivocado! Ella nunca se equivocaba, ni siquiera cuando hacían algo muy difícil.

—Seguro estabas pensando en la palabra OBSTETRA. Ése es un médico. Y tú nunca serás obstetra ni nada parecido mientras no te portes bien en clase y hagas tus tareas. Mírate esas manos —dijo la Sra. Cott—. ¡Qué habrás estado haciendo para tener las manos así!

Lucas se miró las manos. Las tenía cubiertas de manchas rosadas, rojas, verdes, anaranjadas y amarillas. Le sonrió a su mamá. —Es que Claudia llevó sus marcadores nuevos —explicó—. Son de diferentes colores y huelen a comida. El rojo huele a cereza y el amarillo, a limón. Escribí con ellos y también los probé.

—¿Probaste los marcadores? —preguntó su mamá haciendo una mueca—. Pueden ser venenosos.

—Qué va, mami —contestó Lucas—. No me pasó nada.

—Lucas, no debes meterte esas cosas en la boca —lo regañó.

—Entonces no deberían hacer marcadores con olor a

comida —dijo Lucas—. El anaranjado tenía un olor riquísimo, pero sabía horrible, como los otros.

—Ay, Lucas —suspiró su mamá—. ¿Cuándo vas a portarte como un niño de tu edad? ¿Qué otra travesura hiciste hoy?

Lucas tomó un plátano del frutero y lo empezó a pelar mientras pensaba. —No hice nada —contestó—. Escribir en el pupitre no era tan malo y no era ruidoso.

—Seguro que hiciste algo —dijo su mamá—. Concéntrate.

—Por la mañana inventé un juego muy divertido —dijo Lucas mientras masticaba el plátano—. Hice rodar el lápiz por el pupitre. Se lo enseñé a Julio y echamos carreras. Mi lápiz casi siempre le ganaba al de él.

—¿Qué hacían los demás mientras ustedes echaban carreras? —preguntó la Sra. Cott.

—Hacían ejercicios de matemáticas —dijo Lucas—. Pero Julio y yo la pasamos mejor. Además, yo ya había terminado los ejercicios. Después los otros también empezaron a echar carreras. Todo el mundo echó carreras; bueno, casi todos, menos Cricket —recordó.

—Echar carreras de lápices es una conducta obstructiva —dijo su mamá.

—Pero todos lo hicieron —protestó Lucas—, y al único que le dieron una nota fue a mí.

—¿Qué más hiciste? —preguntó su mamá.

—Durante LUIS, la señora Hockaday me mandó a leer afuera.

—¿LUIS?

—Lectura Universal Ininterrumpida Silenciosa. Es cuando toda la escuela lee al mismo tiempo.

—Ah, claro, se me había olvidado —dijo la Sra. Cott—. A ver, ¿por qué tuviste que salir de la clase? ¿No estabas leyendo?

—Claro que sí —le contestó Lucas—. Pero la Sra. Hockaday se enojó porque yo me estaba pegando y despegando el velcro de los tenis; dijo que estaba distrayendo a los demás.

—A mí eso me parece obstructivo —dijo su mamá. A ver, ¿qué más hiciste hoy?

—Durante la clase de inglés, contesté las preguntas sin levantar la mano.

—Eso no está bien —dijo su mamá—. Imagínate si todos se pusieran a contestar sin levantar la mano. ¿Cómo podría mantener el orden la Sra. Hockaday?

—Pero si no lo hago así, ella siempre llama a Cricket, porque ella es tan lista que levanta la mano antes de que termine de hacer la pregunta.

Así no vale.

—Quiero que me prometas que mañana no vas a echar carreras de lápices ni vas a jugar con tus tenis ni a contestar sin levantar la mano —le suplicó su mamá—. Eres un niño inteligente, Lucas. La Sra. Hockaday pierde tanto tiempo regañándote que no puede darse cuenta de lo listo que eres.

—¿De verdad crees que soy inteligente? —le preguntó Lucas.

—Claro que sí —dijo su mamá—. ¿No recuerdas que tu papá y yo te dijimos que aprendiste a hablar muy pronto? Los gemelos sólo balbucean palabritas, pero a su edad tú ya decías frases completas. Pero a veces es mejor no hablar tanto. No contestes sin permiso. En vez de carreras de lápices, echa carreras con Cricket a ver quién levanta la mano primero.

—Sí —dijo Lucas—, eso puede ser divertido.

De pronto se oyeron gritos en el cuarto de al lado.

—Los gemelos se están despertando de la siesta —dijo la Sra. Cott—. Y no comas más plátanos —le dijo quitándole el que tenía en la mano—. No vas a tener hambre a la hora de la cena.

—Está bien, mami —suspiró Lucas. Al parecer, se equivocaba cada vez que abría la boca. O comía o decía lo que no debía.

—Voy a montar en bicicleta —dijo. Marcus y Marius, los gemelos, siempre se despertaban de mal humor. Mejor se iba afuera un rato.

—Me parece bien —dijo la Sra. Cott.

—Voy a casa de Cricket —dijo Lucas. No podía esperar hasta mañana para decirle que se había equivocado. No sabía el significado de la palabra *obstructiva*. ¡Qué boba!

2

LOS LENTES

El desayuno en casa de Lucas siempre era la locura. Los gemelos, Marcus y Marius, estaban aprendiendo a comer solos y botaban cucharadas de avena y pedazos de pan por todas partes. A veces Marcus le tiraba un gajo de naranja a Marius. Otras, Marius metía la mano en su cereal y después se la pasaba por el pelo.

El Sr. Cott se iba muy temprano para el trabajo. La Sra. Cott se mantenía ocupada tratando que el desayuno de los gemelos terminara en sus barriguitas y no en el piso.

Cuando Lucas iba a salir para la escuela, ella le dijo: —Tu papá y yo vamos a pedir una cita para hablar con la Sra. Hockaday. Vamos a decirle que vas a poner de tu parte y que de ahora en adelante te vas a portar bien. Así que, borrón y cuenta nueva.

Lucas la miró confundido. Pero si él ya había prometido que se iba a portar bien. ¿Qué era eso de borrón y cuenta nueva? La Sra. Cott se dio cuenta de que no entendía.

—Borrón y cuenta nueva quiere decir que se borra el pasado y se empieza otra vez, mejor que antes. O sea, que vas a esforzarte por ser un estudiante perfecto.

En el camino a la escuela, Lucas iba pensando en lo que su mamá le había dicho. Eso de ser un estudiante perfecto no sonaba muy divertido, pero iba a intentarlo.

Lo primero que Lucas vio al llegar a la escuela fue a Arthur Lewis con sus lentes nuevos. Arthur era muy callado y casi nunca hablaba en clase. Con sus lentes nuevos se veía muy importante e inteligente; hasta parecía más inteligente que Cricket Kaufman y se portaba como si lo supiera. Arthur sorprendió a todos esa mañana levantando la mano y contestando dos de las preguntas de la

Sra. Hockaday. Nunca había hecho eso.

Lucas se volteó a mirar a Arthur. ¡Cómo le gustaría tener un par de lentes así, con marco oscuro! Con lentes, sería más fácil portarse bien. A la hora del almuerzo, Lucas le pidió a Arthur que le prestara los lentes.

Arthur se negó.

—Mi mamá me dijo que los lentes no son para jugar y que no me los debo quitar para nada.

—Te los puedes quitar un minuto mientras comes, así descansas los ojos —le contestó Lucas—. Eso no sería jugar.

Arthur lo pensó y después dijo: —No. No me los voy a quitar. Si quieres lentes, cómprate un par.

Lucas miró a su alrededor. Seis o siete niños de otros grados también tenían lentes. Nunca antes lo había notado.

Lucas concluyó que si él tuviera lentes, se podría portar mucho mejor. Con lentes sería un estudiante aplicado. No gritaría en clase ni sería obstructivo. Entonces sí sería un estudiante perfecto. Así que después del almuerzo, levantó la mano y le dijo a la Sra. Hockaday que no podía leer lo que estaba escribiendo en el pizarrón.

—Ven y siéntate aquí —le dijo ella, señalando el pupitre de Sara Jane Cushman, que ese día había faltado a clases.

Lucas caminó lentamente hacia el frente de la clase, tropezando con varios pupitres.

—¿Qué te pasa? —le preguntó Julio.

—No veo bien —se quejó Lucas—. Debe ser que necesito lentes.

Sentarse en primera fila no era muy divertido. Ahí, justo enfrente de la Sra. Hockaday, no podía echar carreras de lápices ni hacer de las suyas. Pero valdría la pena si así podía conseguir sus propios lentes. Cada vez que se acordaba, entrecerraba los ojos, haciendo notar que forzaba la vista.

La Sra. Hockaday se le acercó. —Creo que deberías ir a la enfermería —le dijo.

Lucas se enderezó en el pupitre. —Creo que sí, Sra. Hockaday —asintió.

—Pide a la enfermera que por favor te haga un examen de la vista. Quizás se te ha dañado de tanto ver televisión —dijo la maestra.

—La televisión no daña la vista —dijo Lucas rápidamente. No quería que a la Sra. Hockaday se le empezaran a ocurrir ideas raras.

La enfermería estaba al final del pasillo. Cuando llegó, la enfermera, la Sra. Phillips, le estaba tomando la temperatura a Carol Simmons, una estudiante de otra clase de tercero. Carol estaba acostada en la camilla y tenía la cara roja.

—¿Qué se te ofrece, Lucas? —le preguntó la Sra. Phillips.

—La Sra. Hockaday quiere que me haga un examen de la vista —dijo y se acordó de entrecerrar los ojos.

La Sra. Phillips sacó el termómetro de la boca de Carol y lo miró. —Tienes un poco de fiebre —le dijo—. Descansa aquí hasta la salida.

Después caminó hacia el frente de la enfermería y desenrolló la lámina de examinar la vista.

—Párate en esa línea amarilla —le indicó a Lucas—. Ahora cúbrete el ojo derecho con este papel.

Lucas tomó el papel y se cubrió el ojo. Podía leer perfectamente toda la lámina, pero se hizo el que no veía bien.

La Sra. Phillips señaló una hilera de letras.

—K-P-Z-X-M-T —leyó Lucas, aunque sabía que esas letras no eran las de la lámina.

—Trata de leer la línea de arriba —le dijo la Sra. Phillips.

De nuevo Lucas leyó mal.

—Pues sí, parece que se te ha dañado la vista desde el último examen —dijo la Sra. Phillips—. Vamos a ver cómo está el otro ojo.

Lucas se cubrió el ojo izquierdo. Otra vez leyó las letras mal, tratando de convencer a la enfermera de que necesitaba lentes ya.

Carol Simmons se sentó en la camilla y lo miró.

—¿Te estás quedando ciego? —le preguntó.

Lucas sonrió satisfecho. —Parece que me van a tener que poner lentes, como a Arthur Lewis —les dijo a Carol y a la enfermera.

—Le voy a mandar una nota a tu mamá para que te lleve al oculista —dijo la Sra. Phillips, caminando hacia su escritorio.

—¡Qué lástima que no veas bien! —dijo Carol.

—No importa —dijo Lucas—, así me pondrán lentes.

—Sí, pero el año pasado decías que querías ser astronauta.

—Este año quiero ser luchador —dijo Lucas.

—Ah, bueno. Mejor, porque para ser astronauta hay que tener una vista perfecta —le dijo Carol.

—¿Quién dijo? —preguntó Lucas.

—Lo dijeron en un programa de televisión —dijo Carol.

—¿Se puede ser astronauta si uno tiene lentes? —le preguntó Lucas a la Sra. Phillips. ¿Y si de pronto quería ser astronauta de nuevo en vez de luchador?

—No sé —dijo la enfermera—. Pero no te preocupes. Puedes ser muchas cosas cuando crezcas. Lo importante es que con lentes verás mejor. Se te ha dañado la vista rápidamente. Nunca he visto un cambio tan repentino. Debes ir al oculista cuanto antes.

Carol Simmons se volvió a acostar en la camilla. —A nadie le gustaría viajar en una nave espacial con un piloto ciego —dijo.

—Yo no estoy ciego —dijo Lucas—. Veo perfectamente.

Se cubrió el ojo derecho otra vez con el papel.

—T, R, N, K, O, P —dijo, leyendo las letras de la última línea—. Hasta puedo leer las letritas más pequeñas de la lámina: "Impreso en Topeka, Kansas. 1982".

—¿Ves? Te dije que no estoy ciego —le dijo Lucas a Carol.

—Lucas Cott, ¿qué es lo que pasa? —preguntó la Sra. Phillips—. ¡Me estás haciendo perder el tiempo!

—Ya veo bien, de repente me mejoré —le dijo Lucas—. Muchas gracias por el examen.

—No se puede creer nada de lo que Lucas Cott dice —dijo Carol Simmons—. Yo estuve en su clase el año pasado y lo conozco muy bien.

—Yo también te conozco muy bien —dijo Lucas.
—¿Qué sabes tú de mí? —le preguntó Carol.
—No pienso decirte —le contestó Lucas.
—Pero yo sí te digo que regreses a tu salón inmediatamente —le regañó la Sra. Phillips—. Y no vuelvas a venir aquí con tus majaderías.

—¿Qué te dijo la Sra. Phillips? —le preguntó Julio a Lucas cuando regresó a su pupitre.
—No pienso decirte —le contestó Lucas y empezó a copiar todas las oraciones del pizarrón. Las veía perfectamente.

3

BORRÓN Y CUENTA NUEVA

—Ésta es la tarea para mañana —dijo la Sra. Hockaday. Todos se quejaron. Lucas fue quien más se quejó. Odiaba hacer tareas. Muchas veces ni se molestaba en hacerlas y tenía que inventarse excusas.

—Hoy es un día de otoño precioso —dijo la maestra—. Así es que van a recoger una o dos hojas y las van a traer. Mañana las identificaremos. Como hay una gran variedad de árboles por aquí, será interesante ver lo que traen.

Cricket Kaufman levantó la mano.

—¿Escribimos también un informe sobre las hojas? —preguntó.

Lucas la miró aterrado. ¡Qué repelente! ¡Qué pregunta tan tonta!

Por suerte a la Sra. Hockaday no le gustó la idea de los reportes. —No, sólo hojas —dijo sonriendo—. Pero no se olviden. Todos tienen que traer alguna. Tú también, Lucas —dijo la maestra. La mala memoria de Lucas era famosa en la clase, sobre todo cuando se trataba de los deberes.

—Voy a traer más hojas que nadie, ya verán —dijo Lucas. Se había acordado de la promesa que le había hecho a su mamá. Si iba a ser un estudiante perfecto tenía que hacer bien la tarea; como decía su mamá, borrón y cuenta nueva.

Camino a casa, Lucas vio a varios compañeros recogiendo hojas, pero él siguió de largo. Había ayudado a su papá a rastrillar las hojas del jardín ese fin de semana. Frente a su casa habían varias bolsas de plástico llenas de hojas para que al día siguiente las recogiera el camión de la basura. Lo único que tendría que hacer era meter la mano y sacar un puñado de hojas.

Cuando llegó a casa y vio las bolsas, se le ocurrió una idea. ¿No sería divertido llevar toda una bolsa? Él había dicho que iba a llevar más hojas que nadie. Valdría la pena sólo por ver la cara de Cricket. Lucas trató de levantar una de las bolsas, pero era muy pesada.

En el garaje había un carrito con el que Lucas jugaba cuando era pequeño. Le serviría para acarrear la bolsa mañana. Decidió no contarles a sus padres su plan; su mamá seguramente diría que no era necesario llevar tantas hojas. Claro que ella no había oído el tono de la Sra. Hockaday cuando dijo: "Tú también, Lucas". Mañana le iba a demostrar que, cuando se lo proponía, podía hacer la tarea mejor que nadie.

Al día siguiente, Lucas puso su lonchera en el carrito. Después levantó una de las bolsas y la puso encima de la lonchera. Era tan grande que tenía que halar el carrito muy despacio para que la bolsa no se cayera.

—¿Adónde vas con esa bolsa? —le preguntó el guardacruces.

—Es mi tarea —le contestó Lucas, orgulloso de su idea.

El guarda lo miró muy sorprendido.

A la entrada de la escuela había varios escalones. Si no hubiera sido por la ayuda de un grupo de muchachos de sexto grado, Lucas no hubiera podido subir el pesado carrito.

—¿Me ayudan? —les preguntó.

Los muchachos no le preguntaron nada. Agarraron el carrito y subieron los escalones.

—Gracias —les dijo Lucas, avanzando despacio con su carrito.

La Sra. Hockaday estaba sentada escribiendo en su escritorio. —Llegas temprano —le dijo a Lucas cuando lo vio entrar. En ese momento se dio cuenta de que llevaba un carrito con una inmensa bolsa de plástico.

—¿Pero qué diantres es eso? —preguntó.

—Es mi tarea —dijo Lucas—. Yo dije que iba a traer más hojas que nadie.

—No me digas que has traído esa bolsa llena de hojas —dijo la Sra. Hockaday como si no lo creyera. Lucas siempre hacía cosas sorprendentes, pero esto era demasiado.

—Sí —contestó Lucas sonriente—. ¿Dónde las pongo? No van a caber en mi pupitre.

—Deja el carrito en esa esquina —le contestó ella.

Lucas llevó el carrito a la esquina. Después levantó la bolsa para sacar su lonchera, pero al sacarla rasgó el plástico de la bolsa y un montón de hojas cayó al suelo. En eso sonó el timbre y los demás niños entraron a la clase. Al abrirse la puerta, entró una corriente de aire y las hojas empezaron a volar por el aire.

Lucas trató de cogerlas. No quería que su tarea volara por el aire. Los demás también trataron de agarrarlas. Pero en la confusión se cayeron más de la bolsa y pronto todo el salón se llenó de hojas.

—Miren, el otoño entró al salón —exclamó Lucas.

—Hará falta un rastrillo para limpiar este desastre —dijo Cricket.

La Sra. Hockaday dio un portazo. Eso lo hacía sólo cuando estaba muy enojada. —¡A sus sitios! —gritó. Miró el desorden que se había formado en la clase. —Cricket, por favor ve y busca al conserje para que nos ayude a barrer el salón.

Cricket salió rápidamente. Al abrir la puerta, las hojas volvieron a volar por el aire. Lucas se subió a su escritorio para alcanzar una.

—¡Siéntate inmediatamente, Lucas! —gritó la Sra. Hockaday—. Tengo suficientes preocupaciones, para que encima te partas la cabeza.

Lucas se sentó. Sobre su escritorio habían varias hojas y muchísimas en el piso. El conserje llegó con una escoba grande y una bolsa de plástico. Empezó a barrer entre los pupitres y por las esquinas. Si se le pasaba una hoja, los alumnos se lo decían. Se demoró bastante en barrer todas las hojas y ponerlas en la bolsa.

—Por fin podemos comenzar la clase —dijo la Sra. Hockaday cuando el conserje salió con la escoba, la bolsa y las hojas.

—¿Cuándo va a mirar las hojas que trajimos? —preguntó Cricket Kaufman, levantando sus dos brillantes hojas.

—Más tarde, mucho más tarde —dijo la Sra. Hockaday, dejando escapar un suspiro.

De pronto Lucas sintió un nudo en el estómago. Todas sus hojas habían desaparecido. No tenía la tarea. Sus esfuerzos habían sido en vano. Unos minutos antes, él tenía más hojas que nadie y ahora no tenía ni una.

En ese momento notó algo debajo de su zapato. Era una hoja que el conserje no había recogido. Era pequeña y amarilla. Lucas la recogió y la puso entre las páginas de su libro de sociales para no perderla. Ahora nadie podía decir que él no había traído la tarea.

Hoy la Sra. Hockaday ni siquiera podría decir que se había portado en forma obstructiva.

4

LUCAS HACE UNA APUESTA

Un jueves de noviembre, Cricket Kaufman llegó al salón muy emocionada. —Mi mamá ya tuvo el bebé —anunció feliz y llena de orgullo.

—¡Qué maravilla! —dijo la Sra. Hockaday—. ¿Es niño o niña?

—Es una niñita —dijo Cricket—. Se llama Mónica. Dice mi papá que se parece a mí.

—¿Y por qué no le pusieron nombre de insecto, como a ti? —preguntó Lucas. Como Cricket quiere decir "grillo", a Lucas se le ocurrieron muchos nombres para la hermanita: Mosquita

Kaufman, Chicharrita Kaufman y hasta Cucarachita Kaufman, como la Cucarachita Martina.

La Sra. Hockaday no le hizo caso a Lucas. Pero Cricket se giró furiosa y le dijo: —En ese caso, ¿por qué no te pusieron Mucus a ti, para que rimara con el nombre de tus hermanos? ¡Marius, Marcus y Mucus!

—¡Mucus! ¡Moco! —gritó Julio. ¡Mocus Cott!

—¡Ya basta, Julio! Tú también, Lucas. Y tú, Cricket, me sorprendes. No le hagas caso. Para mí será un placer tener a tu hermanita en mi clase cuando llegue el día. Dejen de discutir. Ésta no es forma de comportarse en clase —dijo la maestra, mirando severamente a Lucas y a Julio—. ¿Entendido?

Lucas recordó que le había prometido a su mamá portarse bien. Pero otra vez se le había olvidado. Las palabras se le salían de la boca sin darse cuenta. Así que, a pesar de estar furioso con Cricket por lo que había dicho, no dijo nada. Esperó hasta la salida. Quería decirle algo que ella no sabía.

—Mi nombre es romano —le dijo—. Marcus y Marius también son nombres romanos. Mis abuelos vinieron de Italia, y hace mucho tiempo, Roma era el lugar más importante del mundo.

—Bueno, y ¿eso a quién le importa? —dijo Cricket—. Te crees muy especial porque tienes hermanos gemelos. Te apuesto que mi hermanita va a ser más inteligente que tus dos hermanos juntos, y además, más linda.

—No digas nada malo de mis hermanitos. Son mil veces mejores que tu hermanita —dijo Lucas enojado.

—Ni siquiera la has visto —dijo Cricket, sacándole la lengua.

—Ya verás que los bebés no son nada del otro mundo —dijo Lucas muy serio—. Hacen mucho ruido y huelen mal. Y los papás les dedican todo el tiempo a ellos. Por lo menos Marcus y Marius ya tienen dos años y ya aprenden cosas de mí.

—Pues si les estás enseñando a ser como tú, siempre van a estar metidos en problemas.

—¿Ah, sí?

—Ajá. Tú no te puedes callar ni por casualidad —le dijo Cricket—. Te pasas todo el día hablando. Seguro que hasta hablas mientras duermes.

—Oye, la boca es para hablar. Y para comer —dijo Lucas, relamiéndose.

—Pero no hay que pasarse comiendo todo el tiempo. Tampoco hay que pasárselo hablando —le dijo

Cricket—. La pobre señora Hockaday tiene que oírte hablar todo el día.

—Yo no hablo tanto —se defendió Lucas—. Además, si quisiera callarme, lo haría. Lo que pasa es que tengo muchas cosas que decir.

—Te apuesto a que no puedes estar callado ni dos segundos.

—¡Te apuesto a que sí! —respondió Lucas.

—De acuerdo —dijo Cricket.

—¿Qué quieres apostar? —preguntó Lucas.

—Mi abuelita me dio un dólar anoche porque ahora soy mayor, como tengo una hermanita. Te apuesto ese dólar a que no puedes pasar un día sin hablar en la escuela.

—Trato hecho —le dijo Lucas—. Mañana no diré ni "mu".

—De acuerdo, pero si dices una sola palabra mañana en la escuela, tú me tienes que dar un dólar —le advirtió Cricket.

—No hay problema —le contestó Lucas. Él sabía que no tenía un dólar para pagarle si perdía, pero no tenía la menor intención de perder. Sería una manera fácil de ganarse un dólar y de demostrarle a Cricket Kaufman que no lo sabía todo. Él podía estarse callado si quería; lo que pasaba era que nunca antes había querido. Y después de ganar la apuesta, hablaría el doble sólo para fastidiarla. Era un plan estupendo.

A la mañana siguiente, Lucas salió para la escuela. No estaba seguro cuándo empezaba la apuesta. ¿Podría hablar en el patio de la escuela? ¿Y durante el recreo y a la hora del almuerzo? No importaba. No iba a decir una sola palabra en todo el día. De ninguna manera iba a perder esta apuesta.

—Hola, Lucas —oyó que Cricket lo saludaba al verlo llegar. Lucas la saludó con la cabeza, pero no dijo nada.

—No te olvides —le dijo Cricket—. Una palabra, y me debes un dólar.

Lucas dijo que sí con la cabeza y entró a la clase. No tenía por qué quedarse afuera si no podía hablar con nadie.

Pasaron unos minutos y sonó el timbre. Todos entraron al salón. La Sra. Hockaday entró y se sentó en su escritorio. A principios de año, pasaba asistencia todas las mañanas. Pero ahora que ya conocía a sus alumnos, sólo miraba para ver quién estaba ausente.

—Tenemos asistencia completa —dijo mirando a los estudiantes—. ¡Qué buena manera de acabar la semana!

Lucas ya iba a decir que la mejor manera era irse a casa, pero recordó que no podía decir nada. Apretó los labios y sacó su libro de matemáticas. Prestó mucha atención a lo que la Sra. Hockaday escribía en el pizarrón y cuando Julio lo pinchó para que dijera algo, sólo meneó la cabeza.

—¿Qué te pasa? —le preguntó Julio muy bajito, al ver que Lucas apretaba los labios—. ¿Tienes ganas de vomitar, o qué?

Lucas dijo que no con la cabeza y siguió escribiendo en su libro de ejercicios. Quería decirle que la escuela siempre le daba náuseas, pero sabía muy bien que no podía ni susurrar una palabra sin que Cricket lo oyera. La miró y vio que ella lo miraba fijamente.

—¿Por qué no estás haciendo los problemas, Cricket? —dijo la Sra. Hockaday.

—Es que ya terminé —contestó Cricket complacida.

—Bueno, repasa que no hayan errores —dijo la maestra.

Cricket fingió revisar los problemas, pero Lucas vio que todavía lo miraba. ¡Iba a ser un día interminable!

Durante la clase de sociales, la Sra. Hockaday preguntó el nombre del explorador que descubrió el Océano Pacífico. Lucas sabía la respuesta, pero no levantó la mano. Escuchó mientras los demás trataban de adivinar.

—Colón —dijo Julio.

—Marco Polo —dijo Sara Jane.

Cricket había levantado la mano y la agitaba impaciente. —Yo sé, yo sé —dijo.

—Ya sé que tú sabes, Cricket —dijo la maestra, sonriéndole a la alumna estrella—. Pero quiero que todos traten de recordar. Hablamos de esa persona ayer. Les voy a dar una pista. Su apellido empieza con *B*.

Parecía que nadie sabía la respuesta fuera de Cricket y Lucas. Pero si Lucas contestaba, perdía la apuesta, y la Sra. Hockaday no quería que Cricket respondiera. Ya había contestado las últimas cinco preguntas.

—Abran el libro en la página setenta y dos —dijo la maestra.

Todos lo hicieron.

—A ver, Lucas, empieza a leer desde el principio de la página. Ahí está la respuesta a la pregunta.

Lucas no se movió. Miró a Cricket. ¿Era hablar leer en clase? ¡Cómo podía haber sido tan tonto de no establecer las reglas de la apuesta antes de aceptarla!

Cricket sonreía de oreja a oreja. Seguro pensa-

ba que si Lucas leía, le debía un dólar. Lucas siguió sentado mirando la página sin leer.

—Lucas —dijo la Sra. Hockaday—, estamos esperando.

A Lucas se le ocurrió una escapatoria. Empezó a toser, se dobló y se tapó la boca con la mano.

—Ve a tomar agua —dijo la Sra. Hockaday—. Julio, lee por favor desde el principio de la página.

Lucas salió apurado al pasillo. ¡Qué alivio no

haber tenido que hablar! Ojalá pudiera hacerlo el resto del día. Se acercó a la fuente y tomó un largo trago de agua antes de regresar al salón.

—Ahora ya saben quién descubrió el Océano Pacífico —decía la Sra. Hockaday justo cuando Lucas entraba—. ¿Y tú lo sabes, Lucas? —le preguntó.

Lucas se quedó parado cerca de su pupitre. Dijo que sí con la cabeza y sonrió.

—A ver, ¿quién fue? —le preguntó la maestra.

Lucas iba a doblarse de nuevo en otro ataque de tos, pero se le ocurrió otra escapatoria. Se dirigió al pizarrón y, en grandes letras de imprenta, escribió: BALBOA.

—Muy bien —dijo la Sra. Hockaday—, me alegro que sepas escribir el nombre.

Lucas regresó a su pupitre, sonriendo a Cricket al pasar a su lado.

El almuerzo fue difícil, pero pudo haber sido peor. Lucas se comió su sándwich muy despacito. Le daba mordiscos pequeñitos y tomaba sorbitos de leche.

—¿Qué te pasa? —le preguntó Julio—. ¿Estás enfadado conmigo?

Lucas le dio su sonrisa más amistosa pero no le contestó. Señaló el sándwich y mordió otro bocado.

—Estás chiflado —le dijo Julio.

Mañana, cuando le ganara a Cricket su dólar, le iba a regalar a Julio un chocolate o un paquete de chicles.

LUIS fue fácil. Lucas leyó su libro mientras los otros leían los suyos. A veces le parecía muy difícil quedarse callado durante esos quince minutos. Sus compañeros siempre esperaban que él armara algún alboroto. Pero hoy sus ojos no se despegaron del libro. Se concentró tanto en la historia que cuando LUIS terminó pensó que era una lástima. Decidió llevarse el libro a casa para terminarlo de leer en el fin de semana. Quería saber cómo terminaba la historia.

Lucas se sintió dichoso de que fuera viernes. Los jueves tenían clase de música. ¿Cómo se iba a escapar de cantar? Cricket hubiera dicho que cantar era hablar, pero con música. Los viernes no había música ni educación física ni arte. Siempre era un día largo y aburrido, pero especialmente hoy era mucho más largo.

—Les tengo una sorpresa —dijo la Sra. Hockaday.

Todos la miraron sorprendidos. —Como Cricket acaba de tener una hermanita, pasé por la biblioteca y saqué una película sobre bebés. Creo que a todos les va a parecer interesante.

Lucas abrió la boca y ya iba a preguntar si la película decía de dónde vienen los bebés. Pero antes de decir la primera palabra vio que Cricket lo miraba con cara triunfante. Casi pierde la apuesta. Enseguida cerró la boca.

La Sra. Hockaday sacó el proyector del armario. Le pidió a Arthur que apagara la luz y la película empezó. Era cómico ver a los bebés comer y tirar la comida por todos lados. Lucas pensó en sus hermanitos. En la parte donde cambiaban los pañales a los bebés, unos niños silbaron y dijeron cosas, pero Lucas no dijo nada. Se preguntaba si Cricket lo podía ver en la oscuridad. Pero de ninguna manera iba a correr el riesgo.

La película se terminó justo a la hora de irse a casa. La Sra. Hockaday se acercó a Lucas. —Has estado muy callado todo el día —dijo—. ¿Te sientes bien? —le preguntó y le puso la mano en la frente.

Lucas se puso colorado. Cualquier otro día hubiera dicho algo chistoso, pero se quedó callado.

—Tal vez te estás resfriando —dijo la Sra. Hockaday—. Acuéstate temprano hoy y toma mucho jugo de naranja. No quiero que te enfermes y tengas que faltar a clase.

Lucas quedó sorprendido por el comentario de la maestra. Él creía que seguro ella se alegraría si no iba a la escuela. Después de todo, a lo mejor la Sra. Hockaday sí lo quería.

—Sí, a mí también me parece que está enfermo —dijo Julio—. Ha estado rarísimo todo el día.

El timbre sonó y la maestra los dejó irse.

—No puedo creer que no hayas hablado en todo el día —le dijo Cricket cuando salían del salón.

—No voy a caer en tu trampa —dijo Lucas—. Ya

hablaremos afuera.

—¡Ya caíste, bobo! —gritó Cricket—. Te engañé, Lucas Cott. No dijiste nada en todo el día, pero no esperaste a salir de la escuela. Me debes un dólar.

—¡Ni lo pienses! —le gritó Lucas.

—Págame.

—El timbre sonó. La escuela se acaba cuando suena el timbre, no importa si estamos adentro o afuera. Tú dijiste que no podía estar sin hablar en la escuela. Lo hice, así que me debes el dólar —dijo Lucas.

—Lucas —dijo la Sra. Hockaday, saliendo al pasillo—, ya veo que te estás recuperando sin la ayuda del jugo de naranja. Parece que tenías un caso de "escuelitis". Ve a casa y disfruta el fin de semana.

Cricket salió corriendo delante de Lucas hasta llegar a la calle. Lucas presentía que no iba a ver el dólar que había ganado, pero también sabía que Cricket no podía obligarlo a pagar ni un centavo.

Caminando a casa, Lucas pensó en todo lo que había pasado ese día. Recordó lo preocupada que se puso la Sra. Hockaday cuando pensó que él se estaba enfermando. No iba a hacer más apuestas con Cricket, pero a lo mejor empezaría a pedir permiso para hablar en clase. Le gustaba que la Sra. Hockaday lo quisiera. Lo hacía sentirse bien.

5

HAZAÑAS DE LUCHADORES

A pesar de que Marcus y Marius sólo tenían dos años, Lucas no se acordaba de cómo era su vida antes de que nacieran. Le parecía que sus recuerdos empezaban el día en que su papá lo despertó con la gran noticia. El hermanito o hermanita que estaban esperando resultó ser un par de hermanitos gemelos. Fue una sorpresa para todos. Para Lucas, sus papás y hasta para el médico.

¡Desde ese día todo cambió en la casa de los Cott!

Al principio, Lucas se divertía mucho. Siempre

había visita y muchas veces le llevaban algún regalo a él. Era como si hubiera hecho algo extraordinario al tener dos hermanitos al mismo tiempo.

Después de un tiempo pasó la novedad y ya no era tan divertido. Los gemelos lloraban todo el tiempo y cuando no lloraban, comían. Como eran dos, a la hora de comer, tanto su papá como su mamá tenían que atenderlos.

—Ojalá pudiera tener otro par de brazos —decía la Sra. Cott suspirando cuando Marcus y Marius empezaban a llorar al mismo tiempo. Lucas ofrecía ayudar, pero aunque era el hermano mayor, era aún muy pequeño para cargarlos.

Ahora que habían cumplido dos años, Lucas se entretenía mucho más con ellos. Le gustaba ver cómo se subían por todas partes. Juntos hacían más travesuras de las que Lucas se podía imaginar. Como eran dos, si uno se ponía a sacar las ollas y los abarrotes de los gabinetes de la cocina, el otro se entretenía echando juguetes en el inodoro.

A Lucas le hacían mucha gracia las travesuras de sus hermanos, excepto cuando Marius le quitó las etiquetas a todas las latas de alimentos y luego, a la hora de la cena, nadie sabía qué lata tenía tomates y cuál melocotones. Tampoco le hizo mucha gracia cuando Marcus atascó el inodoro un sábado por la noche y el plomero pudo ir a arreglarlo recién el lunes por la mañana.

Lucas sabía que, en general, sus traviesos hermanos le hacían más fácil su vida. Sus papás siempre estaban tan atareados con los gemelos que no podían estar tan pendientes de él. La nota de la Sra. Hockaday era un buen ejemplo. Si fuera hijo único, la Sra. Cott probablemente se hubiera enfadado mucho más. Julio le contó a Lucas que cuando la Sra. Hockaday mandó una nota a su casa lo castigaron. No lo dejaron montar en bicicleta ni ver televisión durante toda una semana.

A Lucas ni siquiera lo castigaron. Tuvo una larga conversación con su papá mientras daban vuelta a la manzana. Lucas se enteró de que la Sra. Hockaday había dicho que él era uno de los alumnos más inteligentes de la clase.

—Pues no me trata como si fuera inteligente —se quejó Lucas.

—¿Acaso te portas como si fueras inteligente en clase?—le preguntó su papá—. Y a pesar de eso, ella se da cuenta de que puedes ser un buen estudiante.

Lucas le prometió que iba a tratar de portarse mejor en la escuela.

Pero no era tan fácil como parecía; por eso se

alegraba cuando llegaba el fin de semana y podía quedarse en casa. Muchos sábados Julio iba a verlo en su bicicleta; otras veces, Lucas iba a la casa de él. Pero descubrió que otras veces, disfrutaba jugando con sus hermanitos tanto como con sus amigos.

Desde que veía lucha libre por televisión, Lucas había decidido que quería ser luchador y ahí, en su propia casa, tenía dos oponentes con quien practicar las llaves.

Lucas las estaba aprendiendo todas. La llave "media nelson", la "figura cuatro" y la "mecedora". Había muchísimas más. Cuando jugaba con sus hermanos, Lucas tenía mucho cuidado de no lastimarlos. Peleaba con ellos solamente en la sala, donde la gruesa alfombra los protegía cuando se caían. Tanto a Marcus como a Marius les encantaba jugar con su hermano mayor. Cuando Lucas los tumbaba y los sujetaba contra el piso en una llave, chillaban complacidos. Al rato, Lucas los veía practicando entre ellos las mismas llaves.

Todos los días, Lucas y sus hermanos tenían una sesión de lucha libre. Un sábado por la mañana, mientras Lucas perfeccionaba con Marcus una llave nueva llamada "doble ala de pollo", su mamá entró en la sala.

—Ay, Lucas —dijo suspirando—. ¿Otra vez luchando con Marcus? Un día de éstos lo vas a lastimar.

—Nadie se lastima en las luchas de la televisión —le contestó Lucas—. Dice papá que los gritos de los luchadores son puro cuento. Así que no te preocupes, no voy a lastimar ni a Marcus ni a Marius.

—Puede que no lo hagas a propósito —le dijo la Sra. Cott—, pero como son tan pequeños, les podrías quebrar un brazo o una pierna accidentalmente. ¿Por qué no juegas a otra cosa con ellos?

—Más, más —pidió Marcus justo en ese momento.

—Mira, ves cómo le gusta —se defendió Lucas—. Tengo mucho cuidado con ellos. Además, si voy a ser luchador, tengo que practicar.

La Sra. Cott volvió a suspirar. —¿Por qué no piensas en otra ocupación? A ver. Hasta ahora has querido ser bombero, policía, astronauta y luchador. Para variar, ¿por qué no piensas en algo tranquilo y calmado? ¿Has pensado alguna vez en ser poeta?

Lucas se quedó pensativo. —Tengo dos hermanos gemelos... —dijo—. Gemelo, suelo, buñuelo, duelo...

Tengo dos traviesos hermanos gemelos.
Con ellos lucho y ruedo por el suelo;
enredados en llaves parecemos buñuelos,
y como soy el mayor, siempre gano el duelo.

—Ves, eres bueno para la poesía —dijo la Sra. Cott.

Lucas se acercó a Marcus, que estaba arrancando las páginas de una revista de la mesa de la sala. —Puedo ser el luchador poeta —le dijo—. Todos los luchadores se distinguen por algo.

En eso entró el Sr. Cott cargando a Marius, que tenía toda la cara pintada de lápiz de labios.

—Quiero que lo veas antes de lavarlo —le dijo a su esposa.

—¡Oh, no! —exclamó la Sra. Cott—. ¿Cómo quedó el dormitorio? ¿Y dónde encontró mi lápiz de labios?

—No te preocupes por el dormitorio —dijo el papá de Lucas para calmarla—. Estaba tan ocupado pintándose, que se olvidó del resto.

—¡Menos mal! —suspiró aliviada la Sra. Cott, mientras su esposo llevaba a Marius al baño.

Lucas se arremangó la camisa. —Mira, papá —lo llamó—, mira mis músculos. ¿Ves cómo me están creciendo ahora que me estoy entrenando para ser luchador?

El Sr. Cott le apretó el brazo. —¡Qué bien! Este invierno podrás ayudarme a palear la nieve —le dijo a su hijo, quien sonrió satisfecho.

A la hora del almuerzo tomaron sopa de tomate con verduras. Estaba rica, pero los gemelos se las arreglaron para que fuera a dar casi toda al piso en vez de a la boca.

—Se me acaba de ocurrir una magnífica idea —dijo la Sra. Cott. Lucas la miró. —Los niños necesitan un corte de pelo. A Lucas le llega el pelo a los ojos y los gemelos también necesitan un recorte. ¿Qué les parece si vamos a la peluquería esta tarde?

Para Lucas, eso no era lo que se dice una magnífica idea, pero por lo menos sería más divertido si iban todos juntos.

—Me parece bien —dijo el Sr. Cott—. A mí tampoco me vendría mal un corte de pelo.

Todos subieron al carro y se fueron a la peluquería. A Lucas siempre le cortaban el pelo en la misma peluquería. Le gustaba observar a los tres barberos. Se preguntaba si ellos se cortaban el pelo unos a otros cuando no habían clientes esperando en las sillas alineadas contra la pared.

—No, no —empezó a decir Marius cuando se dio

cuenta adónde iban. No le gustaba ir a la peluquería.

—Es divertido, Marius —le mintió Lucas.

—No divertido —dijo Marius.

—Yo me lo corto primero —le dijo Lucas—, así verás que no duele.

Uno de los barberos, Louie, acababa de terminar con un cliente casi calvo. Lucas se preguntó cómo se sentiría ser calvo. Su luchador favorito se llamaba "Sam Sinpelo" y era tan calvo que su cabeza brillaba en la pantalla de la televisión.

—Me gusta cómo me corta el pelo Louie —susurró el Sr. Cott—, así que mejor empiezo yo.

—Buena idea —dijo la Sra. Cott—. Así podrás darme una mano con los gemelos cuando les toque el turno.

—No hará falta —contestó el Sr. Cott—. Para eso están los barberos.

—Eso te crees —dijo la Sra. Cott—. Se nota que es la primera vez que vienes a la peluquería con los gemelos.

El Sr. Cott miró a Marius y Marcus. Se habían bajado de las sillas y estaban sentados en el suelo, haciendo montoncitos de pelo.

—El que sigue —dijo Louie, que se alegró cuando vio que era el Sr. Cott.

Los otros dos barberos levantaban la vista y se miraban de reojo para ver quién iba más adelantado. Uno de ellos no tendría que cortarle el pelo a los gemelos si se demoraba lo suficiente para que Louie terminara con el Sr. Cott. Finalmente Tony, uno de ellos, terminó con su cliente. Miró nervioso a la Sra. Cott y dijo: "El que sigue".

—Me toca a mí —dijo Lucas sentándose en el sillón. Tony sonrió complacido. —Me gusta cortarle el pelo a los niños mayores —le dijo. Trabajó tan a gusto que se le olvidó que debía demorarse y terminó con Lucas antes de que Louie terminara con el Sr. Cott.

—El que sigue —dijo Tony y le echó una mirada al otro barbero, que estaba cortando pelo por pelo.

—Vamos, Marcus. Te toca a ti —dijo la Sra. Cott.

Marcus levantó la vista del suelo, donde seguía sentado. —No cortar pelo —dijo.

—Es divertido —dijo Lucas—. Ya me lo cortaron a mí. Ahora te toca a ti.

—Anímate, Marcus —dijo el Sr. Cott por debajo de la toalla húmeda que el barbero le había puesto en la cara.

—¡No! —gritó Marcus.

—¡No! —gritó Marius también.

La Sra. Cott cargó a Marcus y lo sentó en la sillita para niños que Tony puso en su sillón. La sillita tenía un volante y parecía un carro.

—¡Noooo! —gritaba Marcus y movía la cabeza de un lado a otro sin parar. Tony tenía miedo de acercársele con las tijeras.

—No quiero lastimar a su hijo —le explicó a la mamá.

—No se preocupe —contestó ella—. Se calmará en un momento.

—No, no, no —seguía gritando Marcus. Desde el piso, Marius le hacía eco a gritos.

—Venga la semana que viene —dijo Tony—. Hoy va a ser imposible.

—No, ya estamos aquí; mejor lo hacemos hoy. Además, no tiene más clientes —contestó la Sra. Cott.

—Es que no voy a poder hacer nada si se mueve tanto —se quejó Tony.

—Un momento —dijo Lucas—, yo lo voy a ayudar.

Lucas se paró detrás del sillón y pasó ambos brazos por debajo de los brazos de su hermano. Tenía a su hermano inmóvil en el sillón en la mejor llave "doble ala de pollo" que le había salido.

—Listo —le dijo a Tony—, empiece a cortar.

El barbero esperó un momento a ver si el niño se iba a zafar de la llave, pero Marcus no se resistió.

PELUQUERÍA

Se quedó tan quietecito como cuando jugaba a la lucha libre con Lucas.

—Parece que funciona —dijo Tony, empezando a trabajar rápidamente.

—¿Ves qué divertido? —le decía Lucas a Marcus. Le cayó un poco de pelo en la cara, pero él sabía que no debía soltar a Marcus, ni siquiera para quitarse el pelo de la cara.

—Yo, yo, yo —empezó a gritar Marius, que había estado mirando todo desde el piso.

—Después te toca a ti —le prometió su mamá.

Tony cortaba de prisa. En un abrir y cerrar de ojos, terminó con Marcus. Lo ayudó a bajarse del sillón y levantó a Marius. —No te vayas —le dijo a Lucas.

—No se preocupe —contestó Lucas—, me sé un montón de llaves.

—¡Yo, yo! —gritó Marius triunfante.

Lucas se acercó al sillón de Tony y le pasó un brazo alrededor del cuello y del hombro a Marcus.

—Esta llave se llama "candado". La aprendí esta mañana —explicó Lucas.

—Funciona a las mil maravillas —dijo Tony, cortando a toda carrera. El tercer barbero por fin terminó con su cliente. Aliviado, se puso a observar a Tony. Louie también terminó con el Sr. Cott.

El Sr. Cott fue a pagar por los cuatro cortes.

—¿Viste que no fue nada complicado? —le dijo a su esposa.

La Sra. Cott estaba ocupada sacudiendo el pelo de los pantalones de Marcus.

—Listo —dijo Tony sonriendo. Miró a Lucas. —Lástima que esté prohibido contratar a alguien tan joven como tú —le dijo—. Si no, te ofrecería un trabajo ahora mismo. Podrías sujetar a todos los niños chiquitos para que les corte el pelo. Seríamos un dúo perfecto.

—A lo mejor vengo cuando sea mayor —dijo Lucas—. No se me había ocurrido ser barbero.

—Y que no se te ocurra practicar con el pelo de tus hermanos —le advirtió la Sra. Cott cuando salían de la peluquería.

—¿Y por qué no? —preguntó Lucas—. Sería un gran ahorro.

—¿Quién quiere comer helado? —preguntó el Sr. Cott al pasar por la heladería, que estaba a unas puertas de la peluquería.

—¡Yo! —exclamó Marcus.

—¡Yo! —exclamó Marius.

—¡Yo! —exclamó Lucas.

—Y yo también quiero —dijo la Sra. Cott.

Entraron en la heladería y pidieron sus helados: barquillos de fresa para los papás, de vainilla para los gemelos y el sabor superchocolatísimo para Lucas. Éste se comió su helado mientras observaba al muchacho que atendía detrás del mostrador.

Se necesitaban músculos fuertes para sacar las bolitas de helado del congelador. A lo mejor decidía no ser ni luchador ni barbero. Tal vez podría trabajar en una heladería y usar de esa manera sus músculos. Se empezaba a dar cuenta de que en la vida había muchas posibilidades. ¡La sorpresa que se llevarían Cricket Kaufman, Julio y los demás si entraran en la heladería y fuera él quien les despachara los helados!

6

LAS JORNADAS CULTURALES

Un viernes por la tarde, el Comité Cultural de la Asociación de Padres y Maestros anunció la presentación de un mimo. Lucas ni siquiera sabía qué era un mimo hasta que la maestra lo explicó.

—Un mimo es un artista que cuenta una historia con los movimientos del cuerpo, sin decir una sola palabra —les explicó la Sra. Hockaday—. Les va a encantar.

—Eso fue lo que dijo la última vez —le recordó Lucas a Julio.

La última vez había sido el mes pasado, cuando la

jornada cultural resultó ser una presentación de una cantante soprano. Su voz era tan aguda que a Lucas le dio dolor de oído. Además, nadie entendió nada porque la letra de las canciones era en otro idioma.

Esta vez el idioma no iba a ser problema alguno, ya que el mimo no iba a decir ni "pío".

A la una y media de la tarde, los alumnos de tercero salieron para el salón de actividades. Habían apartado las sillas y las mesas que usaban a la hora del almuerzo, y todos los niños se sentaron en el suelo. Los de primero y segundo grado estaban en frente, y los de tercero se tuvieron que sentar atrás. Lucas quería pasar a cuarto grado para ir a los programas con los de quinto y sexto. Entonces podría sentarse en frente otra vez.

—Recuerden —les advirtió la Sra. Hockaday—, no quiero que nadie se porte mal. No quiero oírles decir ni una sola palabra. El que hable durante la presentación, tendrá tarea para todo el fin de semana.

La advertencia dio resultado porque nadie dijo ni una sola palabra mientras se acomodaban en el suelo. Lucas miró a la Sra. Hockaday, que estaba sentada en una de las sillas, a un lado del salón. Los maestros nunca tenían que sentarse en el suelo.

Al fondo del salón Lucas vio una silla vacía. Calladito, se acercó y se sentó en ella.

La Sra. Hockaday lo vio, pero en vez de llamarlo por su nombre le chasqueó los dedos y le indicó que se bajara. Aunque sabía que no iban a dejarlo sentarse en la silla, Lucas pensó que no había perdido nada con intentarlo.

El director, el Sr. Herbertson, se paró y pidió atención. Les dijo que la presentación iba a ser maravillosa. Después les dio las gracias al Sr. Weiss y a la Sra. Corbett de la Asociación de Padres y Maestros, y todos aplaudieron. Alguien se atrevió a silbar, pero el Sr. Herbertson lo fulminó con la mirada.

—Y ahora, sin más demora —dijo el Sr. Herbertson—, ¡el Sr. Mimo!

Lucas se preguntó cuál sería el verdadero nombre del Sr. Mimo. Seguro se había cambiado el nombre, porque no pudo nacer llamándose así.

El Sr. Mimo empezó a inflar un globo imaginario que se agrandaba con cada soplido. Todos observaban cómo el globo crecía y crecía. Después el Sr. Mimo le hizo un nudo imaginario al globo y le amarró un hilo. El globo empezó a levantar al Sr. Mimo del suelo. "Qué tontería", pensó Lucas. "Si él mismo acaba de inflar el globo, lo que hay adentro es dióxido de carbono, no helio. El dióxido de carbono no pesa menos que el aire; ¿acaso no sabe eso el mimo?"

Lucas se recostó en la silla para mirar al mimo. Casi todos los niños de primero se estaban riendo, pero a él no le parecía tan divertido. ¿Qué tenía de cultural inflar un globo?

La silla era de plástico y tenía una abertura en el respaldo. Lucas metió la cabeza por el hueco y apoyó la barbilla en el asiento. "Es una forma cómoda de mirar el espectáculo", pensó Lucas. Tenía su propio cojín para la barbilla.

De pronto, Lucas sintió que alguien le tocaba un hombro. Giró la cabeza y vio al Sr. Herbertson parado a su lado. El director no dijo una palabra, pero con un gesto, igual que el mimo, le indicó que quitara la cabeza de la silla y se sentara como era debido.

Lucas trató de sacar la cabeza del hueco. Pero a pesar de que la había podido meter sin ninguna dificultad, ahora no se podía zafar. Era como si de pronto la cabeza se le hubiera inflado como el globo imaginario del mimo. Lucas le sonrió al director y aparentó no darse cuenta de su mirada fulminante.

Dio vuelta la cabeza una vez más y trató de sacarla. Tampoco tuvo suerte.

El Sr. Herbertson lo haló por los hombros. Después le empujó la cabeza por el hueco. Los dedos se le enredaron en el pelo y Lucas por poco grita del dolor. Pero recordó, justo a tiempo, la advertencia de la Sra. Hockaday. Si lograba sacar la cabeza de la silla, no quería pasarse el fin de semana haciendo tarea.

En eso Lucas se dio cuenta de que varios compañeros lo miraban a él y no al mimo. Sonrió como si le gustara tener la silla alrededor del cuello. Si pudiera hablar, les hubiera dicho que ésta era la última moda en collares. Pero como estaba prohibido hablar, siguió sonriendo.

Cada vez más y más niños lo estaban mirando. La Sra. Hockaday también estaba parada a su lado. Sin tener que mirar hacia arriba, Lucas reconoció sus zapatos y el olor de su perfume.

De pronto Lucas sintió algo frío en el cuello y la cara. Tenía un olor dulzón. La Sra. Hockaday le estaba untando crema para sacarle la cabeza de la silla.

El Sr. Herbertson halaba en una dirección y la Sra. Hockaday en otra. Era un tira y afloja tremendo, con Lucas en el medio. Lucas cerró los ojos y se preguntó si era un sueño. Una vez soñó que se estaba ahogando en un mar de merengue de limón. Pero empezó a dar brazadas de pecho y pudo salir a la superficie del merengue. Justo en ese momento se despertó. Esta vez le parecía que jamás se iba a despertar.

Finalmente Lucas sintió el roce plástico de la silla en las orejas cuando por fin se zafó. No lo estaba soñando, ¡se había zafado de la silla! Todos empezaron a aplaudir y uno se atrevió a silbar. Lucas se paró y miró alrededor del salón.

Todos—los alumnos de primero, segundo y tercer grado, los maestros, los padres de la Asociación y hasta el Sr. Mimo—lo estaban mirando a él. Lucas pensó que debía hacer una reverencia para agradecer el aplauso. Sin embargo, una mirada al director le hizo cambiar de idea.

La Sra. Hockaday miró al Sr. Mimo y dijo: —Me parece que este jovencito le debe pedir disculpas por haber interrumpido su magnífica actuación.

El mimo no dijo una palabra. Si le molestaba que un niño de ocho años hubiera acaparado la atención de su público, no lo demostró. Avanzó hacia Lucas y lo tomó de la mano. Después le dio uno de sus globos imaginarios. Y como Lucas no era ningún tonto, se dio cuenta de que ahora él también era parte del espectáculo. Así que fingió que el globo lo estaba levantando. Se paró de puntillas y se agarró al mimo como apoyo. Así caminaron juntos hacia el frente del salón. Todo el mundo aplaudió con entusiasmo.

Lucas estaba preparado para cualquier cosa que el mimo quisiera hacer. Sin embargo, no estaba preparado para la Sra. Hockaday, que también caminó hacia el frente, lo cogió por un brazo y lo sacó del salón.

—Nunca en mi vida de maestra he pasado un susto tan terrible —le dijo a Lucas—. Imagínate si no te hubiéramos podido sacar la cabeza de la silla. ¿Qué hubiéramos hecho? ¡Te pudiste haber lastimado!

Lucas no se había lastimado. No le dolía nada. Pero algo en el tono de voz de la Sra. Hockaday le advertía que no debía actuar como si nada. A ella sí le importaba. Por el tono de voz, Lucas se daba cuenta de que se había preocupado mucho por él. Hasta parecía que estaba a punto de llorar.

Más tarde, cuando Lucas y los demás regresaron al salón de clases, el tono de la Sra. Hockaday cambió.

—Tu conducta fue pésima —dijo, regañando a

Lucas—. No sólo te expusiste a un peligro, sino que también fuiste irrespetuoso con el mimo. La Asociación de Padres y Maestros se esforzó por organizar este espectáculo que tú interrumpiste con tu mala conducta. Como castigo, vas a escribir cincuenta palabras diez veces cada una.

Lucas no dijo nada. ¿Qué iba a decir? ¡Se le había arruinado el fin de semana! Iba a demorarse una eternidad en escribir todas esas palabras.

De pronto Lucas vio una mano en el aire. Era Cricket Kaufman. En las últimas semanas, desde que Lucas evitaba hacer comentarios sobre ella en clase, Cricket lo trataba mejor. A veces Lucas pensaba que hasta le caía bien. Pero ahora se preguntaba qué iba a decir. "¡Ojalá no se le ocurra sugerir que escriba oraciones con estas cincuenta palabras!", pensó Lucas.

—A ver, Cricket —dijo la maestra.

—Sra. Hockaday —empezó Cricket—, usted no dijo que no podíamos meter la cabeza por una silla. No creo que sea justo que castigue a Lucas por eso. Él no dijo ni una palabra durante la presentación. Usted dijo que quien dijera una sola palabra iba a tener que hacer la tarea.

—Sí, es cierto —dijeron las voces de otros niños que estaban de acuerdo.

Lucas miró a Cricket. Sonaba igualito a uno de esos abogados que salían por la televisión.

La Sra. Hockaday se puso roja. Nunca había regañado a Cricket Kaufman. Lucas pensó que ahora le tocaba el turno a ella.

Pero no la regañó. Sólo dijo: —Lucas, ve al baño a quitarte esa crema de la cara. Y nunca más vuelvas a meter la cabeza en una silla. Eso vale para todos.

—¿Tengo que hacer la tarea? —preguntó Lucas.

—No, esta vez te salvó una buena defensa —dijo la Sra. Hockaday.

El rostro de Lucas se iluminó con una sonrisa de oreja a oreja. Miró a Cricket. Después de todo, no era tan antipática. "Y la Sra. Hockaday tampoco era mala maestra", pensó Lucas mientras se lavaba la cara en el baño.

Aún estaba sorprendido de que Cricket lo hubiera defendido. Decidió entonces que votaría por ella cuando fuera a ser presidenta de los Estados Unidos. Era lo menos que podía hacer para devolverle el favor.

7

UN CIRCO PARA EL PAYASO DE LA CLASE

Una tarde de primavera, la Sra. Hockaday anunció: —Tenemos que planear la obra que vamos a presentar este año. Quiero que todos den ideas, así que pónganse sus gorras.

Era el momento que Lucas estaba esperando. Aunque se estaba portando bien en clases, a veces no podía resistir la tentación de hacer payasadas. Como últimamente la Sra. Hockaday usaba esta expresión cada vez que quería hacer pensar a sus alumnos, Lucas ese día había llevado su gorra azul de pelotero. Antes de que la maestra terminara de decir lo de las gorras, Lucas sacó la suya y se la puso.

Todos se rieron.

—Lástima que yo no traje mi gorra —dijo Julio.

—Ya veo que el payaso de la clase anda haciendo de las suyas otra vez —dijo la maestra. Pero, quién sabe por qué, no parecía molesta con Lucas. Tal vez como se estaba portando bien la mayor parte del tiempo no le importaba que hiciera una payasada de vez en cuando.

Lucas le sonrió a la maestra.

—Ya que tienes puesta una gorra de verdad, concéntrate a ver si se te ocurre un buen tema para la obra —dijo la Sra. Hockaday.

Lucas se puso a pensar.

Arthur Lewis levantó la mano. —La clase de mi primo presentó una obra sobre personajes históricos famosos.

Lucas hizo una mueca. No le gustaba la idea de Arthur. ¿Por qué no hacían algo divertido, que le gustara a ellos y al público, o sea, a los estudiantes de las otras clases?

"Personajes famosos", escribió la maestra en el pizarrón. —¿Se les ocurre algo más?

—¿Qué les parece *La Cenicienta*? —dijo Cricket.

A Lucas tampoco le gustó esa idea. Sabía que

Cricket ya se estaba imaginando de protagonista. Pero ese cuento no tenía muchos papeles para niños. De pronto se le ocurrió algo.

—Ya sé —dijo.

—Lucas, no hables sin permiso. Levanta la mano si quieres sugerir algo —le recordó la maestra.

Lucas suspiró y levantó la mano. Aunque trataba de no hacerlo, por lo menos una vez al día hablaba sin pedir permiso.

—A ver, Lucas. ¿Qué se te ocurre? —le preguntó la Sra. Hockaday.

—Hagamos un circo. Así todos podemos hacer algo diferente, y sería muy divertido.

—¡Eso! —exclamó Julio.

—No hables sin permiso —le recordó la maestra. Pero podía ver por las reacciones de los demás que a todos les gustaba la idea del circo.

—¿Qué hay en un circo? —preguntó.

Casi todos levantaron la mano: payasos, acróbatas, animales y . . .un domador de leones.

—Esta vez podrás hacer todas las payasadas que quieras —le dijo la Sra. Hockaday a Lucas sonriendo y comenzó a asignar papeles—. Tú y Julio pueden ser los payasos.

—Yo sé dar volteretas —dijo Julio. Había aprendido en la clase de educación física y le encantaba lucirse con sus acrobacias.

—A mí me regalaron un uniciclo en Navidad —dijo Franklin—. ¿Puedo montarlo?

—¡Me parece muy buena idea! —dijo la Sra. Hockaday—. Tú también puedes ser un payaso.

—Vamos a necesitar un maestro de ceremonias para que presente los actos —dijo la maestra—. Arthur, me parece que tú serías muy bueno para eso.

A todos les encantaba la idea de representar un circo. Sin embargo, a Lucas se le pasó el entusiasmo. A fin de cuentas, eso de ser payaso no le gustaba nada.

¿Por qué no le habían dado otro papel?

Una cosa era ser payaso cuando quería; otra cosa era que la maestra le asignara el papel de payaso. No quería pintarse la nariz de rojo como los payasos. Se iba a ver como Marius la vez que se pintorrajeó con el lápiz de labios de su mamá.

Lo que a Lucas más le gustaba del circo era el papel de Arthur Lewis. Le hubiera gustado ser el maestro de ceremonias. Se pondría un sombrero de copa alta, tocaría un silbato para que el público le prestara atención y anunciaría cada acto. Era un papel importante porque sólo había un maestro de ceremonias. En cambio, si contaba a Franklin y a

Julio habría tres payasos; además, como él no tenía un uniciclo como Franklin ni sabía dar volteretas como Julio, no iba a ser un payaso muy espectacular.

—La obra será el 19 de mayo —dijo la Sra. Hockaday y escribió la fecha en el pizarrón—. Vamos a enviar invitaciones a todos los padres. Les hará mucha ilusión venir a verlos actuar.

Ésa era otra razón por la cual Lucas no tenía muchas ganas de participar en la presentación. Sus padres no podían venir. Su papá salía tarde del trabajo y su mamá no tenía con quién dejar a Marcus y a Marius. Y él no quería que ni por nada los llevara a la escuela.

El año pasado, cuando estaba en segundo grado, Lucas fue uno de los príncipes desafortunados en la presentación de *La Bella Durmiente*. La Sra. Cott fue con Marcus y Marius. A Lucas le dio mucho gusto verlos entre el público cuando miró por detrás de la cortina. Pero en el segundo acto, Marius y Marcus empezaron a llorar y Lucas pasó una vergüenza horrible. La Sra. Cott sacó a los gemelos al pasillo, pero aun así se oían sus llantos.

Cricket Kaufman fue la Bella Durmiente. Después de la presentación dijo a todo el mundo que sólo una princesa muerta podría dormir con tanto griterío.

—Tus hermanos echaron a perder la obra —le dijo a Lucas.

Pero ahora ella también tenía una hermanita en casa. Lucas se preguntaba si la Sra. Kaufman iba a llevar a la bebita, Mónica, a la obra. A Lucas no le importaba si Mónica lloraba y lo echaba todo a perder. Total . . . , esta obra no le interesaba mucho.

En la clase de arte, los alumnos empezaron a pintar las piezas del decorado. La mamá de Sara Jane Cushman se ofreció para coser los disfraces. Sara Jane se iba a poner su trusa de ballet para hacer acrobacias sobre un elefante de cartón.

—Esta obra sí me gusta —le dijo a la maestra.

Lucas se acordó de que, el año pasado, Sara Jane lloró cuando le dieron a Cricket el papel de Bella Durmiente.

Al día siguiente, la Sra. Hockaday escribió en el pizarrón en letra de imprenta la invitación oficial a los padres para que todos la copiaran:

TENEMOS EL PLACER DE INVITARLOS
AL MINICIRCO QUE PRESENTARÁN
EL JUEVES, 19 DE MAYO A LA 1:30 P.M.
LOS ALUMNOS DEL TERCER GRADO DE
LA SRA. HOCKADAY.

Todos copiaron la invitación en el papel especial que les dio la maestra. Lucas quería añadir que esa clase siempre era un circo, pero no dijo nada. No tenía ganas de bromear. Todo lo que tenía que ver con la obra lo hacía sentirse mal. Cuando ensayaba con Julio y Franklin, no se le ocurría nada cómico.

—Haz payasadas —le decía Julio—, como las que haces siempre.

—Es que no se me ocurren —contestaba Lucas, y se paraba a mirar a Julio dar volteretas y caminar en las manos, y a Franklin dar vueltas en su uniciclo.

—¿Será que te asusta actuar en público? —preguntó la Sra. Hockaday. —A los mejores artistas les da miedo días antes del espectáculo. El día de la obra te sentirás bien.

Lucas sabía que no era eso lo que le pasaba. Cuando hacía payasadas era porque quería, pero no le divertía que le dijeran cuándo tenía que hacerlas. Simplemente, así no le gustaba ser payaso.

Se puso a mirar a los otros niños y niñas ensayar sus papeles. Todos se estaban divirtiendo.

—Damas y caballeros —exclamó Arthur Lewis como le había indicado la Sra. Hockaday—. Niños y niñas. Bienvenidos al circo del tercer grado.

—Minicirco. Recuerda que debes decir "minicirco" —le corregía la maestra desde el fondo.

—¡Bienvenidos al minicirco! —gritó Arthur.

—Al minicirco del tercer grado —volvió a corregir la maestra.

Arthur hizo sonar el silbato y volvió a empezar. Lucas se sentó a mirarlo. Ya se sabía todas las líneas del maestro de ceremonias de tanto escuchar a Arthur repetirlas.

Esa noche Lucas le dio a su mamá la invitación.

—Suena muy lindo —dijo ella leyéndola—. Me acuerdo de la obra del año pasado, pero ésta es más original. ¿Qué papel vas a hacer?

—De payaso —dijo Lucas sin mucho entusiasmo.

—Eso parece más divertido que ser un príncipe —dijo su mamá sonriente y corrió a agarrar a Marcus, que estaba desenrollando las toallas de papel. —Esta casa está llena de payasos, pero tú eres el mejor.

—¿Vas a llevar a los gemelos? —preguntó Lucas—. Acuérdate cómo lloraron el año pasado.

—Sí —asintió la Sra. Cott—, armaron tremendo alboroto. Pero ya son mayorcitos este año y creo que les va a gustar más el circo que *La Bella Durmiente*.

—Pues no vayas si no quieres —le sugirió Lucas.

—¡Qué tonterías dices! Claro que iré —dijo su mamá. Lucas presentía que los gemelos iban a portarse en forma obstructiva.

La mañana del 19 de mayo sucedió algo inesperado. La Sra. Lewis llamó a la escuela para informar que Arthur tenía amigdalitis. Le dolía mucho la garganta y debía quedarse en casa.

La Sra. Hockaday caminaba nerviosa enfrente de su escritorio.

—Hay que hacer la representación, pase lo que pase —dijo a la clase—. Pero no sé quién pueda hacer de maestro de ceremonias en tan corto plazo. Me va a tocar hacerlo a mí.

Lucas iba a gritar que él podía ser el maestro de ceremonias, pero se detuvo a tiempo y levantó la mano.

—¿Qué se te ofrece, Lucas? —le preguntó la maestra.

—Señora Hockaday, yo puedo hacer el papel del maestro de ceremonias. Sé todo lo que hay que decir.

—Lucas, si te daba miedo hacer de payaso, ¿cómo vas a hacer un papel totalmente diferente?

—Por favor —suplicó Lucas.

—No, tienes que hacer de payaso conmigo

—dijo Julio.

—Pero yo también hago de payaso —le recordó Franklin—. Con dos payasos basta.

—Por favor —volvió a suplicar Lucas.

—Él puede hacerlo —le dijo Cricket a la Sra. Hockaday—. Apuesto a que se sabe todo el papel.

Lucas miró a Cricket. Ella le sonrió y él le devolvió la sonrisa.

—Si dejo que seas el maestro de ceremonias, tienes que hacerlo con seriedad —le dijo la maestra—. No puedes hacer payasadas. Es un papel muy importante en un circo.

—Se lo prometo —dijo Lucas. Ya se veía con el sombrero de copa alta, tocando el silbato para que todos le prestaran atención. Le encantaba el sombrero que la Sra. Cushman hizo para Arthur.

—De acuerdo, Lucas —le dijo la Sra. Hockaday sonriéndole—. Como te has estado portando tan bien últimamente, serás el maestro de ceremonias.

La mañana pasó muy de prisa. Además de las clases de matemáticas y sociales, tuvieron que hacer tarjetas para enviar a Arthur. La Sra. Hockaday escribió el saludo en el pizarrón para que lo copiaran:

QUERIDO ARTHUR:
LÁSTIMA QUE ESTÉS ENFERMO.
ESPERO QUE TE MEJORES PRONTO.

TU COMPAÑERO(A),

Mientras Lucas escribía su tarjeta, se puso a pensar. A él no le parecía una lástima que Arthur estuviera enfermo. Para él era una suerte. Por supuesto que quería que Arthur se mejorara pronto, pero no tan, tan pronto. ¿Y si se mejoraba antes de la una y media de la tarde?

Arthur no se mejoró antes de la una y media. Después del almuerzo, la Sra. Cushman llegó y ayudó a los estudiantes a ponerse sus disfraces.

A Julio le encantó la pintura roja que le pusieron en la nariz y las mejillas. —¡Qué lástima que el maestro de ceremonias no pueda ponerse maquillaje! —le dijo a Lucas.

—No importa —dijo Lucas, que prefería no pintarse la cara.

Los alumnos de tercer grado marcharon al salón de actividades. —No te pongas nervioso —le susurró la Sra. Hockaday a Lucas por tercera vez.

Lucas se daba cuenta de que la maestra estaba muy nerviosa. Hasta el momento, él no se había sentido nervioso, pero ahora, justo antes de subir al escenario, sentía algo extraño en el estómago. Se arrepentía de haberse comido al almuerzo todo su sándwich y la mitad del de Sara Jane.

¿Y si la Sra. Hockaday tenía razón? A lo mejor era cierto que tendría miedo al público y se le olvidaría lo que debía decir. Todo el mundo se burlaría de él y sería un desastre.

También le preocupaba otra cosa. Se preguntaba si Marcus y Marius lo reconocerían y lo llamarían a gritos. Armarían un alboroto y echarían a perder el circo. Ahora que era el maestro de ceremonias, se sentía responsable. No quería que sus hermanos echaran a perder el minicirco del tercer grado.

Como maestro de ceremonias, Lucas era el primero en subir al escenario. Lentamente caminó por la plataforma y respiró hondo. Después tocó el silbato para que le prestaran atención. Hizo una pausa y miró al público. Vio a su mamá sentada con los otros padres y, para sorpresa suya, vio a su papá al lado de ella. Pero no veía a sus hermanos por ninguna parte. Se preguntó si ya estarían haciendo de las suyas en otra parte del salón. Movió la cabeza buscándolos, pero no los veía por ninguna parte.

—¡Lucas, Lucas! "Damas y caballeros. Niños y niñas..." —le sopló la Sra. Hockaday.

Lucas miró a la maestra, que estaba parada a un lado. Se dio cuenta de que ella pensaba que había olvidado lo que tenía que decir. Bueno, gracias a sus hermanos, por un momento casi se olvida. Pero se acordó de lo que la Sra. Hockaday había dicho: hay que presentar la obra, pase lo que pase.

Lucas le sonrió al público. Estaba seguro de que se sabía todas las partes del papel de Arthur.

Lo había escuchado tantas veces.

—Damas y caballeros. Niños y niñas. Bienvenidos al minicirco del tercer grado . . . —exclamó Lucas, alzando la voz como la Sra. Hockaday siempre le indicaba a Arthur.

Julio y Franklin subieron al escenario. Julio dio sus volteretas y caminó en las manos. Franklin dio vueltas y más vueltas en su uniciclo. Una grabadora tocaba música de circo. Parecía un circo de verdad.

Cricket salió con su trusa de ballet y caminó en una cuerda floja imaginaria. Lucas pensó que lo hacía tan bien como el mimo. A pesar de que estaba caminando en el suelo, parecía que de verdad estaba en el aire y que podía perder el equilibrio y caerse en cualquier momento. Cuando terminó su actuación, tanto Lucas como el público la aplaudieron mucho.

Todo siguió tal como estaba planeado. Todos recordaron qué debían hacer y a nadie le dio miedo. Lucas hizo perfectamente el papel de Arthur Lewis. Al final del espectáculo, anunció muy satisfecho: —Todas las cosas buenas llegan a su fin, amigos míos. Ojalá hayan disfrutado de este minicirco del tercer grado.

El público aplaudió con entusiasmo. A pesar

de que él era parte del epectáculo, Lucas sabía que había sido una de las mejores presentaciones escolares que él jamas había visto. Se sentía orgulloso de haber dado la idea del circo.

Todos los padres fueron a felicitar a los alumnos por su actuación.

—¿Dónde están Marcus y Marius? —le preguntó Lucas a su mamá.

—Le pedí a la Sra. Williams que los cuidara esta tarde. Como armaron tanto alboroto el año pasado, decidí que era mejor no traerlos este año. Pero no hiciste de payaso. ¿Qué pasó?

—¡Estuviste magnífico! —dijo el Sr. Cott—. Me alegro de haber podido venir.

—¿No estuvo maravilloso? —preguntó la Sra. Hockaday, poniéndole el brazo por el hombro—. Su papel fue una sorpresa porque el compañero que iba a ser el maestro de ceremonias se enfermó. ¡Qué buena actuación! De veras me sorprendió. No me extrañaría que Lucas decida ser actor cuando sea mayor. Tiene mucho talento.

Lucas miró a la Sra. Hockaday y pensó en lo que había dicho. Nunca antes se le había ocurrido ser actor, pero parecía mucho más interesante que ser luchador. ¡Otra posibilidad para tener en cuenta!

8

OTRA NOTA DE LA SRA. HOCKADAY

El año escolar estaba llegando a su fin. Habían pasado diez meses desde que Lucas y sus compañeros empezaron el tercer grado. Ya habían devuelto todos los libros, y los autores de los dibujos e informes que colgaban de las paredes se los habían llevado a sus casas.

El último día de clases, Julio se le acercó a Lucas y le dijo: —Acabo de escribir un poema. Escucha: "Ya se acabó tercero, ay, ay, ay; lo bueno es no ver más a la Sra. Hockaday". ¿Qué te parece?

—La Sra. Hockaday no fue mala maestra

—dijo Lucas encogiendo los hombros.

En eso entró la Sra. Hockaday con una bolsa grande. Todos se preguntaron qué tendría adentro.

—Hoy voy a dar premios a los mejores alumnos —dijo.

Lucas se enderezó en su asiento. Seguro que Cricket Kaufman ganaba un premio, y también Sara Jane Cushman. Lucas hubiera preferido saber en septiembre que la Sra. Hockaday iba a dar premios en junio. A lo mejor se hubiera esforzado más desde el principio. Ya casi no hablaba sin permiso ni su conducta era obstructiva, pero seguro que a la Sra. Hockaday no se le iba a olvidar lo mal que se portó al principio. Los maestros casi siempre tenían muy buena memoria, sobre todo para las cosas malas.

Primero, la Sra. Hockaday repartió las notas. Eran unas tarjetas amarillas y la Sra. Hockaday había marcado S para "Satisfactorio", IN para "Insatisfactorio" y NM para "Necesita mejorar". Lucas miró sus notas. Tenía una S en conducta. Nunca antes había sacado una S en conducta. En lectura, vocabulario, matemáticas y sociales sacó una S+. Era la nota más alta. Lucas se preguntaba si Cricket también habría sacado una S+.

La tarjeta también decía el nombre de la

maestra que le tocaba el próximo año: la Sra. Schraalenburgh. En la escuela decían, en chiste, que a los alumnos más inteligentes de cuarto grado les tocaba la Sra. Schraalenburgh porque nadie más podía pronunciar ni escribir su nombre. Había dos maestros más de cuarto grado, por eso Lucas sabía que su clase se dividiría en tres grupos. A algunos les tocaría la clase de la Sra. Schraalenburgh con él y a otros no.

Todos empezaron a cuchichear a ver quién iba a estar en qué clase. La Sra. Hockaday se hizo la que no oía el murmullo. Lucas pensó que los maestros regañan mucho el primer día de clases, pero no el último.

Tanto Julio como Cricket iban a estar en la misma clase de cuarto grado con él. Lucas se alegró de quedar en la misma clase con Cricket. Ya no lo molestaba como antes. De hecho, ahora le caía muy bien. Se hubiera sentido triste si los hubieran separado de clase.

Julio y Lucas chocaron las palmas en el aire cuando descubrieron que estarían en la misma clase. Iba a ser el tercer año seguido que quedaban en la misma clase.

La Sra. Hockaday abrió la bolsa y empezó a sacar los premios. Todos eran del mismo tamaño, notó Lucas, y todos estaban envueltos en el mismo papel rojo, blanco y azul. La Sra. Hockaday empezó a llamar a los premiados.

—Cricket Kaufman, al mayor esfuerzo —dijo. Lucas se sintió decepcionado. Si la maestra estaba llamando en orden alfabético, él no iba a recibir premio.

Cricket fue y recogió su premio, que resultó ser tres lápices nuevos. Uno era rojo de un lado y azul del otro, y se le podía sacar punta de ambos lados.

Unos lápices de colores como premio no era gran cosa, pensó Lucas. ¡Qué más le daba si no recibía el premio!

—Arthur Lewis, al mayor progreso —dijo la Sra. Hockaday.

—Julio Sánchez, al mejor atleta.

Era cierto. Además de dar volteretas y caminar en las manos, Julio era el corredor más veloz de la clase y el mejor tirador de pelota.

—Sara Jane Cushman, por presentar las tareas más limpias —dijo la Sra. Hockaday.

Lucas se dio cuenta de que el nombre de Sara Jane no estaba en orden alfabético. De pronto todavía lo llamaban, a pesar de todo.

Uno por uno, la Sra. Hockaday siguió llamando a los estudiantes. Todos recibieron el mismo premio: tres lápices, uno de ellos azul y rojo.

Casi todos habían recibido premios. Lucas trató de no darle importancia. Después de todo, a él no le hacían falta esos lápices.

—Lucas Cott —dijo la maestra. Todos prestaron atención. ¿Por qué recibiría Lucas un premio?

—Lucas Cott —repitió la Sra. Hockaday—, a la mejor conducta al final de año.

La Sra. Hockaday le sonrió a Lucas cuando le entregó el premio, y Lucas le devolvió la sonrisa. Después rompió la envoltura y miró satisfecho los tres lápices. Estaba muy contento con sus lápices, igual que los demás.

—Espero que todos disfruten las vacaciones de verano —les dijo la Sra. Hockaday—. Cuando regresen a la escuela en septiembre, entrarán a cuarto grado. Espero que se esfuercen y les demuestren a sus nuevos maestros todo lo que aprendieron en tercer grado.

—Claro que sí —dijo Cricket y todos estuvieron de acuerdo con ella.

El timbre de salida sonó y Lucas ya se iba corriendo cuando la voz de la Sra. Hockaday lo detuvo por última vez.

—Por favor, entrégale esta nota a tus papás —le dijo dándole una hoja de papel doblada.

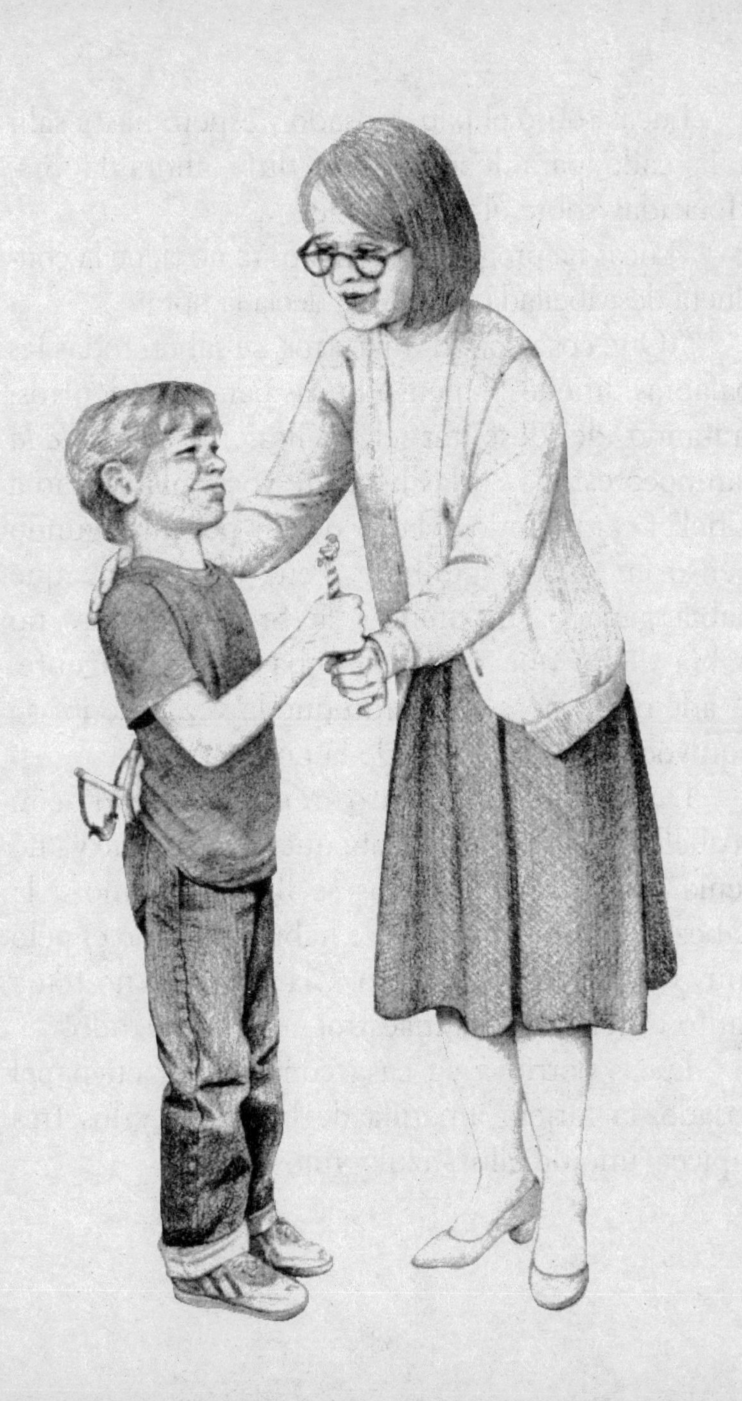

Lucas tomó el papel rosado y esperó hasta salir a la calle para leerlo. ¿Qué diría ahora la Sra. Hockaday sobre él?

"Lucas ha progresado mucho. Ya no tiene la conducta descabellada de antes", decía la nota.

"¡Qué cosa con los maestros, se saben todas las palabras difíciles!", pensó Lucas para sus adentros, tratando de descifrar el mensaje. *Descabellada* tampoco estaba en las listas de vocabulario. Vio a Cricket caminando delante de él y por un segundo pensó en ir a preguntarle. Pero, a pesar de que había ganado un premio, la Sra. Hockaday no había dicho que era la alumna más inteligente. Y, además, Lucas se acordó que la vez anterior se equivocó con la palabra de la nota.

Descabellada. Seguro tenía que ver con "cabello". A lo mejor la nota quería decir que ya no tenía tanto cabello. Lucas se llevó la mano a la cabeza y se rió. Justo ayer le habían cortado el pelo muy cortito para el verano. Claro que ya no tenía tanto cabello. ¡Estos maestros se fijan en todo!

Lucas corrió a su casa con la nota en papel rosado, la tarjeta amarilla de las notas y los tres lápices, uno de ellos, azul y rojo.

SOBRE LA AUTORA

JOHANNA HURWITZ es la autora de varios libros muy populares entre los lectores jóvenes. Entre ellos se encuentran: *Aldo Applesauce, Rip Roaring Russell* y *The Adventures of Ali Baba Bernstein*. Ha trabajado como bibliotecaria infantil en varias escuelas de New York City y Long Island. Con frecuencia visita escuelas por todo el país dando charlas sobre sus libros a niños, maestros, bibliotecarios y padres.

La Sra. Hurwitz y su esposo viven en Great Neck, New York. Tienen dos hijos ya mayores.